Vida o muerte en el Cusco

Lisa Ray Turner y Blaine Ray

Editado por Verónica Moscoso, Contee Seely
y Pablo Ortega López

Nivel 3

Blaine Ray Workshops
8411 Nairn Road
Eagle Mountain, UT 84005
Tollfree phone: (888) 373-1920
Tollfree fax: (888) RAY-TPRS (729-8777)
E-mail: BlaineRay@aol.com
www.BlainerayTPRS.com

y

Command Performance Language Institute
28 Hopkins Court
Berkeley, CA 94706-2512
U.S.A.
Tel: 510-524-1191
Fax: 510-527-9880
E-mail: info@cpli.net
www.cpli.net

Vida o muerte en el Cusco

is published by:

Blaine Ray Workshops, & *Command Performance Language Institute,*

which features TPR Storytelling products and related materials.

which features Total Physical Response products and other fine products related to language acquisition and teaching.

To obtain copies of *Vida o muerte en el Cusco*, contact one of the distributors listed on the final page or Blaine Ray Workshops, whose contact information is on the title page.

Cover art by Pol (www.polanimation.com)
Vocabulary by Shelli Thompson, Contee Seely and Pablo Ortega López

Primera edición: febrero de 2009
Quinta impresión: septiembre de 2011

First edition published February, 2009
Fifth printing September, 2011

ISBN 10: 1-60372-048-0
ISBN 13: 978-1-60372-048-9

Capítulo uno

Elena García había pasado un día horrible. Estuvo en un vuelo de avión larguísimo. Estaba muy cansada. Se veía muy mal. Le dolía la cabeza. Estaba enojada. Se había enojado con su madre.

Elena no estaba contenta para nada. No quería estar en el Perú especialmente durante las vacaciones de invierno. Quería volver a su hogar en Estados Unidos para poder pasar tiempo con sus amigas. Quería ir al baile formal en la escuela secundaria Arapahoe en Littleton, Colorado. Quería ir a esquiar con sus amigas en Winter Park, Colorado. Quería salir a bailar con sus amigas en Denver. Era su último año en la escuela secundaria y no tenía ganas de estar en el Perú para nada.

Pero la dura realidad es que estaba en el Cusco, Perú. Le guste o no le guste, tenía que estar en el Cusco. En su opinión el Cusco era una ciudad horrible. No entendía por qué su mamá quería que le acompañara al Perú.

La madre de Elena, la señora García, siempre quiso que las dos hicieran un viaje a las ruinas incas del Cusco. Ese siempre fue el deseo de su madre pero Elena habría preferido quedarse en Colorado. Su madre siempre había pensado que el Perú era el país más hermoso del mundo. Le encantaban las montañas y las ruinas. También le gustaban sus hermosas playas. En el Perú había lugares interesantes como el sendero inca. También había otras ciudades fascinantes. Había comida buenísima y gente súper simpática.

Su madre había vivido en el Perú durante dos años cuando era joven. Desde entonces, siempre tenía ganas de volver. El año pasado, se le ocurrió un plan. Decidió regalarle un viaje al Perú a Elena por su último año de escuela. Su madre pensó que sería mejor que fueran en el invierno porque las estaciones son al revés en las regiones sureñas de América del Sur. Cuando es verano en Norteamérica, es invierno allá.

—Será un viaje familiar. Será un viaje de madre e hija —dijo la mamá de Elena.

Elena era hija única. No quería viajar a

otro continente con su mamá. Quería estar con sus amigas en Colorado. No quería estar de viaje en el Perú. Habría preferido quedarse en Colorado.

¿Pero qué podía decir Elena? No podía decir que no quería ir de viaje. Su mamá estaba pagando mucho dinero para que Elena tuviera esta oportunidad tan buena. Lo único era que Elena no sabía apreciarla. Su madre no tenía tanto dinero porque hacía tres años que el padre de Elena murió. Su madre se puso muy triste por la muerte de su esposo. Lloraba mucho. Muchas veces se veía triste. Casi siempre miraba las fotos de su esposo. Realmente lo extrañaba mucho.

Por supuesto que Elena también lo echaba mucho de menos. Su papá estaba muerto. No podía hacer nada. Llorar no ayudaba. ¿De qué le servía ir al Perú? En su opinión estaría menos triste si se hubiera quedado con sus amigas en Colorado. Elena quería ser una buena hija y solamente por eso aceptó ir al Perú con su mamá.

Elena se arrepentía de haber venido. No le gustaba viajar en avión porque tenía que pasar mucho tiempo sentada en el mismo lugar.

No le gustaban los viajes largos. No le importaban los vuelos de dos o tres horas pero habría preferido no tener que aguantar tantas horas en un lugar sin poder escapar.

Nada de eso era importante porque ya había llegado al Perú. Todo le parecía sucio. No le gustaba nada de ese país extraño. No podía entender el idioma. En el Perú se habla español, quechua y aymará. El quechua es un idioma de muchos indígenas peruanos. Era el idioma antiguo de los incas. El aymará es otro idioma de los indígenas del Perú.

Elena estaba sentada en el aeropuerto. Estaba rendida por el vuelo largo. Esperaba que llegaran las maletas.

¡Ay! ¡Qué maravilla estar en el Perú! —dijo la Sra. García.

Elena no entendía cómo su mamá podía estar tan animada después de haber viajado tantas horas desde Colorado. Realmente estaba animada y contenta con toda esta situación horrible para Elena.

—La verdad es que prefiero no estar aquí. Ojalá me hubiera quedado en Denver. No sé por qué me convenciste de venir a un lugar tan extraño. ¿Por qué es tan extraño aquí? ¿Por qué no puede ser como Colorado? —le preguntó Elena a la Sra. García.

—Elena, no seas así. Te va a encantar este país. No hay otro lugar como el Perú —le contestó su madre.

Su mamá tenía la energía de una persona muy joven. No parecía tener cuarenta y cuatro años. La madre quería que Elena se portara mejor. No entendía por qué esta joven se quejaba tanto. Estaban en un lugar encantador.

—¿Dónde están nuestras maletas? —le preguntó Elena a su mamá.

—Hmmm. No las encuentro aquí. Voy a averiguar.

La mamá salió por un pasillo hasta llegar a una oficina que tenía información sobre su equipaje. Mientras tanto, Elena se sentó y esperó a que su mamá volviera. Elena estaba muy cansada. Se daba cuenta que se había equivocado al venir al Perú. Pensaba que quizás estaría divirtiéndose si algunas de sus amigas hubieran venido. Tal vez sería interesante estar en el Perú con Jessica y Ashley. Las tres podrían buscar chicos u otras maneras de entretenerse. Pero sería imposible divertirse con su madre.

Elena quería mucho a su madre pero no la quería tanto como para pasar bien con ella dos semanas en el Perú. Tal vez podrían pasar bien en Europa o el Caribe. Hasta Japón habría sido mejor que el Perú. Tal vez Orlando, Florida, habría sido un mejor lugar que el Perú.

Quizás se sentiría mejor cuando llegaran sus maletas. Pero ahora mismo se sentía horrible. Estaba sucia. Hacía calor. No se había lavado el pelo. En general, no se veía bien.

—Oiga, ¿me da unos soles?

Elena se asustó cuando oyó esa voz. Se dio vuelta. Un viejo estaba allí parado. Su piel parecía cuero viejo. Su pelo era negro. Llevaba pantalones azules y una camiseta roja con las palabras Coca-Cola. Ese hombre le asustó a Elena. ¿Dónde estaba su madre?

—Por favor —le dijo el hombre—, solamente unos soles.

En ese momento la madre de Elena apareció. Le sonrió al hombre y le dijo algo en español. Su mamá hablaba muy rápido. Elena no sabía que su mamá podía hablar español tan rápido. Elena no hablaba así. Elena había estudiado español solamente tres años en la es-

cuela secundaria. Tenía vergüenza de hablar
español. Tenía miedo de equivocarse o decir
alguna cosa mala. No quería parecer tonta y
por eso no tenía ganas de hablar español.

La Sra. García le dio unas monedas al
hombre y él se fue. Elena estaba contenta.
La mamá le sonrió a Elena.

—Cariño, hay un problema —le dijo su mamá.

—¿Cuál es el problema?

—Se ha perdido nuestro equipaje —le contestó la Sra. García.

—¡No me digas, mamá! —gritó Elena—.
¡Qué terrible! Necesito mi equipaje. No tengo
ropa, maquillaje, nada. Me veré mal sin mis
maletas. No aguanto más, mamá.

Su mamá se rió. Elena no podía creer que
su madre se podía reír en una crisis así.

—Cariño, no te preocupes. Estamos aquí
en el Cusco. Todo saldrá bien. Mañana nos
traerán el equipaje. Si no llega mañana, saldremos a comprar algunas cositas.

Elena hizo una mueca. No quería comprar
ropa en el Cusco. Pensaba que sería imposible
comprar ropa a su gusto. ¿Qué podría comprar
en el Cusco? ¿Un poncho? ¿Un sombrero ne-

gro?

—Elena, no seas tonta. Mañana iremos a un mercado para comprar ropa nueva. Los precios son buenos y se puede comprar de todo. Sería buenísimo que compráramos ropa aquí. Así tendrías ropa nueva para cuando vuelvas a Colorado —le dijo la mamá.

—¿A qué tipo de mercado vamos? —preguntó Elena.

—Vamos al mercado del pueblo de Pisac. Es un mercado al aire libre. Habrá turistas y personas locales comprando —le respondió su madre.

—¿Podré secarme el pelo allí? —le preguntó Elena.

—Mi hijita, es posible que no tengas tu secadora por uno o dos días —le respondió la Sra. García.

—Mamá, no puedo vivir sin mi secadora. Tú sabes que una secadora es una necesidad para una persona como yo —dijo Elena.

—También es posible que no tengas tu maquillaje por uno o dos días —le dijo la madre a Elena.

—Mamá, no me atrevo a salir a la calle sin maquillaje. No lo puedo soportar. Mi maquillaje es sumamente importante —le respondió Elena.

—Elena, vamos al mercado ahora mismo. Vamos a buscar un taxi —dijo la Sra. García.

Las dos salieron para el mercado en un taxi.

Capítulo dos

La Sra. García quería que las dos fueran al mercado primero pero Elena primero quería buscar un café internet. Quería ver si había recibido un correo electrónico de su amigo José. José era un amigo que vivía en Michigan. José estudiaba español en la escuela secundaria. Envidiaba a Elena porque él siempre había querido viajar al Perú.

Elena encontró el café internet. Se alegró muchísimo al ver que había recibido un correo electrónico de José. José sabía que Elena ya había llegado al Perú. Le escribió diciéndole la suerte que ella tenía de estar en un país latino. Para él era un sueño visitar el Cusco y ver las ruinas. También le explicó que Justo Llamas había dado un concierto en su escuela. Le encantó el concierto y le encantaban las culturas latinoamericanas. Elena leyó el correo electrónico. No sabía cómo responder. Ella odiaba este lugar. No sabía si podría aguantar estar en

Cusco por mucho tiempo.

Al contestarle, Elena le mintió. Le dijo que lo estaba pasando bien. Le dijo que el Perú era un lugar increíble y que todo iba bien. No le contó nada del equipaje. No le dijo nada de lo feo que todo era.

Elena salió del café internet. Su madre le esperaba afuera. Las dos fueron al mercado.

El mercado le parecía muy grande a Elena. Nunca había visto algo así en Colorado. Había un montón de gente. La plaza estaba llena de personas vendiendo cosas diferentes. Le parecía que todos vendían todo tipo de producto. Vendían suéteres de alpaca, guantes, instrumentos musicales, muchos tipos de joyas hechas de oro y plata. Había también algunas personas en el mercado tocando tambores. Elena pensaba que el mercado parecía un circo. Vio también que había muchos turistas siempre llevando sus cámaras digitales. Todos estaban regateando para tener el mejor precio al comprar sus recuerdos del Perú.

—Es una costumbre antigua —dijo la Sra. García—. Mira el rincón de la plaza.

Señaló parte del mercado. Unos indios peruanos estaban sentados detrás de montones de papas, zanahorias, hierbas y otros vegetales.

—Venden verduras a otras personas locales —dijo la Sra. García—. El mercado cierra a las tres de la tarde para que la gente llegue a la casa antes de que oscurezca.

Elena vio una iglesia. Le parecía interesante y quería saber más pero no le preguntó nada a su mamá. Quería que su madre pensara que ella estaba muy aburrida.

—Mira esa iglesia. Fue construida en el año 1955 después de un terremoto. La iglesia tenía una base inca —explicó la Sra. García.

Elena estaba muy impresionada pero no quería que su madre lo supiera. Elena sabía que los incas vivieron en el Perú durante los siglos trece, catorce, quince y dieciséis. Hacía mucho tiempo.

—Temprano hay misa para la gente del pueblo. Más tarde hay otra misa para los alcaldes y diputados de las trece aldeas. Esas aldeas están ubicadas a unas dos o tres horas a pie. Después de la misa, los oficiales andan por la plaza en su ropa de iglesia. Luego vuelven a su casa a pie —le explicó la mamá a Elena.

—Una caminata larga —respondió Elena

tratando de no parecer muy interesada. Sólo quería que su equipaje llegara. Quería que llegara en ese mismo momento. ¿Qué haría si no llegaba? ¿Qué ropa podría usar? Estaba casi segura que no había una tienda de ropa como Gap o Guess en el Perú.

Su madre vio una blusa. Tenía muchos colores. Era larga y grande. Elena pensó que era fea.

—Mamá, no piensas comprar esa blusa, ¿verdad? Espero que no la compres. No la podrías usar en ninguna parte.

—Solo la usaría aquí —le respondió la mamá, dándole dinero a la vendedora—. No creo que sea fea. De hecho, me gusta.

—Mamá, tengo hambre. ¿Sería posible que dejáramos de buscar más ropa para que descansemos y comamos?

—¿Te oigo bien? ¿Estás diciendo que dejemos de comprar? Pensaba que en mi vida jamás oiría eso de tu boca —le contestó la Sra. García.

—Mamá, no estamos en Denver y esto no es Nordstrom —le dijo Elena.

—No, estamos en el Perú. Es hermoso. Me encanta —le dijo la mamá dándole un abrazo a su hija.

Elena se alejó de su mamá. No quería que la gente le viera abrazando a su madre aun en el Cusco, donde a lo mejor nadie la conociera. No sabía por qué eran así las madres. ¿Son así las madres peruanas también? ¿Quién sabe?

—Está bien, Elena. Vamos a buscar dónde comer. Podremos comer cuy —dijo la mamá.

— ¿Qué es cuy? —le preguntó Elena.

—Es un tipo de carne, cariño. No te preocupes. Te va a encantar —respondió la mamá.

Antes de comer, compraron dos camisetas baratas que decían: "Sobreviví el sendero inca".

Después buscaron dónde comer cuy.

Capítulo tres

Elena y su madre volvieron a la plaza del Cusco. Como siempre, su mamá era como una guía turística. Ella siguió hablando del Perú. Siguió hablando del Cusco y los incas.

Hablar tanto le molestaba a Elena. No quería que su mamá hablara tanto. No le importaba que el Cusco fuera la capital de los incas en el siglo trece. No le pareció interesante que el Cusco significaba "el ombligo de la tierra" en Quechua. Tampoco le importaba saber que el imperio de los incas era del mismo tamaño que el imperio romano.

Mientras caminaban, una niñita se les acercó porque quería que le compraran postales.

—No, gracias —dijo Elena.

Luego un niñito se les acercó pidiendo que le dejaran lustrar sus zapatos. Las dos andaban en zapatos deportivos, entonces dijeron que no.

Una chica les preguntó si querían tomarse

una foto con una alpaca. Las dos dijeron que no. Ya estaban cansadas de todo eso. La verdad era que no querían comprar nada ahora, especialmente Elena. Lo único que Elena quería era una hamburguesa. Tenía mucha hambre.

Fueron a la Plaza de Armas. Estaba ubicada en el centro del Cusco y era el corazón de la ciudad. Allí había restaurantes y tiendas. Los edificios eran hermosos con sus balcones. Había algunas catedrales antiguas. Eran grandes y hermosas. En la plaza también podían sentarse y descansar. En medio de la plaza había una fuente rodeada de flores. También había mucha gente en la plaza.

Después de un rato, encontraron un buen restaurante. Olía bien. Olía a ajo y cebollas. Las dos decidieron entrar y se sentaron. Un camarero se les acercó y les entregó los menús. Elena sabía algo de español pero estaba demasiado cansada para poder leerlo. También le dolía la cabeza por la altura del Cusco. Estaban a un nivel súper alto en los Andes. El Cusco está a unos 3,300 metros sobre el nivel del mar.

En vez de leer el menú, Elena le pidió a su

mamá que le pidiera algo. Quería que le pidiera la especialidad de la casa. La mamá pidió la comida para las dos. Elena trató de no dormirse en el restaurante. No pasó mucho tiempo antes de que llegara el mesero con anticuchos.

Elena los vio sin saber lo que eran. Parecía comida del Medio Oriente porque la carne estaba en un palito. La Sra. García comenzó a comer con gusto. Le dijo que los anticuchos estaban deliciosos. Las dos estaban comiendo cuando Elena le dijo a su mamá:

—Mamá, ¿qué son estos? Es la primera vez que como algo parecido. No sé lo que son.

—Carne de corazón.

Inmediatamente Elena dejó de comer.

—¿Carne de corazón? No lo puedo creer. ¿Quién comería carne de corazón? ¿Por qué no hay comida normal como hamburguesas de McDonald's? —gritó Elena.

Un rato después llegó el mesero con dos platos. Los puso en la mesa y les dijo:

—Cuy. Es delicioso. Buen provecho.

Elena miró el plato sin ganas de comer. Aunque tenía muchísima hambre, había perdido el apetito. Vio que en el plato había algún

tipo de carne con frijoles y arroz pero además
¡había una rata cocinada! Una rata grande y
horrible. Lo peor de todo era que todavía tenía
sus dientes y nariz.

—Mamá, esto es horrible. No puedo comer
esto. ¡Qué asco! ¿Por qué comería esto? Me da
ganas de vomitar —gritó Elena.

—Elena, no seas tonta. Es carne. Es muy rico —le dijo la mamá mientras comía con gusto.

—Realmente ¿puedes comer eso? ¿No te
entiendo? No entiendo cómo se puede comer
eso. Voy a convertirme en vegetariana —le dijo Elena a su madre.

La Sra. García siguió masticando la carne
con una cara feliz.

—Es riquísimo. Pruébalo. Sabe a carne de
puerco —le respondió la madre.

—Mamá, es una rata. ¿Cómo puedes comer
una rata? —gritó Elena.

—Elena, no seas ridícula. No es una rata.
Es un cuy. Es una especialidad aquí en Sudamérica. La gente de aquí come cuyes —le dijo
la mamá.

Elena pensaba que comer un cuy era peor
que comer una rata. Elena recordaba el cuy
que había tenido como mascota cuando tenía

ocho años. Su cuy se llamaba Brownie. Era muy bonito con ojos grandes y cafés. También tenía pelo suave. Ahora Elena no tenía ningunas ganas de comer. Esperaba que hubiera un McDonald's muy cerca para por fin poder comer algo que le gustara.

—Está delicioso —dijo la Sra. García mientras comía—. De hecho, en la catedral de aquí hay una pintura de la última cena en la que están comiendo un cuy.

—Mamá, solo quiero volver al hotel. Me siento enferma. ¿Cómo puedes comer algo así? No entiendo.

La mamá se rió al terminar de comer su cuy. Elena comió el arroz y los frijoles pero ni siquiera probó el famoso cuy. Antes de que salieran, el mesero puso el cuy en una bolsa para que se lo llevaran a su hotel para comerlo más tarde. Elena prefería morir de hambre antes de comer un animal como el cuy. No necesitaba una bolsa. Solo quería irse del restaurante lo más pronto posible. Su mamá se llevó la bolsa con el cuy.

Al salir del restaurante, un niño peruano se les acercó. Era muy pequeño con pelo negro y piel morena. Tenía unos ocho años.

—Hola —le dijo la Sra. García al chico.

El chico hizo una seña hacia su estómago indicando hambre. Elena no lo miró. Le molestaba ver tantos niños con hambre. Tampoco quería ver a tantos niños vendiendo cosas tontas.

—¿Cómo te llamas? —le preguntó la Sra. García al chico.

—Marco —respondió.

—Soy la Sra. García y ésta es mi hija Elena —dijo la madre señalando a Elena.

—Bonita —contestó el chico—. ¿Ud. es de Estados Unidos?

—Sí —dijo la madre—, somos de Colorado. En Colorado hay muchas montañas altas como las de aquí.

Marco sacó una postal de su bolsillo.

—¿Quiere comprar una postal? —le preguntó a la señora.

La postal no estaba en buenas condiciones. Era una postal con la foto de una llama blanca con ojos grandes y negros. La llama parecía estar sonriendo.

Elena estaba molesta. No quería comprar otra postal. No quería comprar nada del Perú. No quería hablar con nadie del Cusco. No quería ver a ningún otro niño en la calle. Solo quería que su equipaje llegara. Estaba todavía enojada porque no había llegado antes. Quería regresar al hotel en ese mismo momento para ver si había llegado el equipaje. También quería ducharse y acostarse.

—Está bien. Dame dos postales —le dijo la Sra. García al chico—. Quiero las dos mejores. Son para mis amigas en Colorado.

Marco le sonrió y le dio las postales a la madre de Elena. Ella le pagó con unas monedas.

—¿Podemos salir ahora? —le preguntó Elena a su madre.

—¿Por qué no le damos el cuy al chico? Seguramente tiene hambre y estará muy contento con la comida.

—Buena idea —contestó Elena—. Yo no voy a comer nunca esa rata.

La Sra. García le dio el cuy a Marco. El chico lo tomó y salió corriendo con la bolsa.

—Gracias —les gritó Marco.

—¡Él va a comer esa rata horrible! —dijo Elena—.¡Qué coma con gusto!

La mamá siguió mirando al chico con tristeza.

—Hay tantos huérfanos en las calles del

Perú. Es un problema enorme y Marco es uno de ellos. ¿Qué pasará con ellos? —preguntó la Sra. García.

—Mamá, volvamos al hotel ahora.

La Sra. García siguió hablando sin prestar atención a Elena:

—Hay tantos problemas aquí. Es una lástima. Me da mucha pena.

—A mí me da mucha pena no tener mi maleta —contestó Elena.

—Elena, ¿jamás piensas en otros? ¿Solo piensas en ti misma? ¿Qué pasará con ese pobre chico? —respondió la Sra. García.

A Elena no le importaba lo que estaba diciendo su madre.

—Mamá, Marco es un mendigo. A lo mejor, los turistas como tú le dan muchísimo dinero.

La madre miró a Elena como si fuera de otro planeta. No entendía a su hija.

Las dos caminaron hacia el hotel sin hablar. Llegaron después de un rato. Entraron en su cuarto. Necesitaban ducharse y secarse el pelo. Todo estaría mejor después de dormir bien unas horas. Elena no sabía como podía vivir sin su secadora de pelo.

Capítulo cuatro

Al día siguiente, al despertar Elena no se sentía bien. Todavía estaba cansada. Le dolía la cabeza por la altitud. Se sentía como una mujer vieja. Todavía no había llegado su equipaje.

Su equipaje estaba... Realmente nadie sabía exactamente dónde estaba. No estaba en la habitación de su hotel. Podía estar en Chile, Argentina o tal vez en Bolivia. Lo único que Elena sabía es que no estaba con ella en el Cusco.

Tendría que usar la misma ropa de ayer. Tendría que usar la camiseta que había comprado en el mercado Pisac ayer. Tendría que lavar sus calcetines y ropa interior antes de salir del hotel. ¡Qué asco! ¿Cómo se vería hoy sin maquillaje? ¿Cómo sobreviviría hoy sin su secadora?

—Buenos días, cariño —la voz de la mamá parecía una campana fuerte. Hacía que su cabeza le doliera aún más.

Elena todavía estaba en su cama. Miró a su mamá que ya se había vestido. Se había puesto la misma ropa de ayer. Se había peinado. Estaba sonriendo. Se veía muy animada. ¿Animada? Su mamá se veía animada. ¿Cómo podía su mamá estar animada en el Cusco? Una típica mamá debería estar cansada, agitada o molesta en un viaje así. ¿Por qué ella no se preocupaba? Había tantas cosas de que preocuparse. ¿Por qué estaba animada? ¿Por qué no era como una mamá normal?

—Amor, vamos. Tengo hambre. Quiero desayunar. Tenemos que tomar el autobús para ir a Ollantaytambo —dijo su madre.

—¿Ollan qué? —Elena se metió debajo de su cobija. No quería despertarse. Era demasiado temprano.

—Ollantaytambo.

—¿Qué es Ollantaytambo? —preguntó Elena.

—Ollantaytambo es un pueblo hermoso a unas dos horas del Cusco. Es fantástico.

—Mamá, ¿por qué dices que es fantástico?

—Es un pueblo moderno que está ubicado en el mismo lugar que el pueblo de los incas. La gente de hoy en día vive en los mismos edificios en que vivían los incas antiguamente. Las calles todavía tienen sus nombres antiguos. Es asombroso —explicó la Sra. García.

—¡Qué bueno! —le respondió Elena. No entendía por qué su madre estaba tan interesada en un pueblo antiguo. No entendía cómo ese pueblo podía ser interesante. ¿Por qué van los turistas para allá? Elena no quería ser negativa pero no podía ver la situación de otro modo.

—Hay ruinas fantásticas en Ollantaytambo —le explicó su mamá—. Las ruinas son hechas de piedras enormes. Ollantaytambo tiene las mejores ruinas del Perú.

—Mamá, ¿por qué vamos a ver ese pueblo si todo está arruinado? —preguntó Elena.

La madre rió al oír el chiste de su hija.

—Los incas. Los incas. Los incas. Me parece que lo único importante del Perú son los incas —se quejó Elena.

La mamá siguió hablando de lo interesante que todo era allí. Hablaba de las terrazas y las puertas grandes de piedra. Todo era una maravilla.

Por fin Elena se levantó de la cama. Tenía que vestirse para ir a Ollantaytambo. Descubrió una ventaja de no tener su maleta. Se podía vestir rápidamente. Lo malo era que ella pensaba que se veía como un monstruo.

Diez minutos más tarde las dos salieron del hotel. Buscaron donde desayunar. Unos dos minutos más tarde apareció Marco, el chico que habían conocido la noche anterior.

—Buenos días —les dijo—. ¿Les gustaría comprar chocolate?

"¿Por qué sigue molestándonos el chico?" pensó Elena y volteó para no tener que hablar con él. La madre dijo:

—Buenos días, Marco.

Elena se sorprendió de que su madre recordara el nombre del chico.

—Mamá. No le hables. El me molesta —le dijo Elena a su mamá en inglés para que el niño no les entendiera.

La mamá no le hizo caso a su hija.

—¿Qué tipo de chocolate tienes? —le preguntó la Sra. García al niño.

Marco sonrió. Sacó tres barras de chocolate de una caja y se las mostró.

—Tengo tres tipos diferentes —dijo.

La madre miró los dulces uno por uno.

—¿Dónde vives tú? —le preguntó la Sra. García.

Marco señaló hacia las montañas.

—Está bastante lejos, ¿no? ¿Cómo vienes al Cusco? —preguntó la Sra. García.

—Vengo a pie o en autobús.

—¿Vienes solo?

—Casi siempre vengo con mis dos hermanos.

—¿Cuántas personas hay en tu familia?

—Somos tres no más.

—¿Cuántos años tienes?

—Tengo ocho años.

—Qué bueno —contestó la madre—. ¿Me das los tres chocolates? Los tres parecen deliciosos.

Marco se puso feliz. Sonrió.

—¿Qué tal si me das cuatro? Quiero ayudarte —le dijo.

Marco le dio los dulces a la Sra. García y ella le pagó con unas monedas.

—Chao —le dijo la madre a Marco.

—Chao —le dijo Marco—. Nos vemos más tarde.

Elena esperaba que no se vieran. No quería volver a ver al chico. El chico le molestaba. No quería que volviera a aparecer.

Capítulo cinco

Ollantaytambo era asombroso, tal como su madre había dicho (aunque Elena no quería admitirlo). Las calles eran muy estrechas y las terrazas eran increíbles. Parecían subir en las montañas hasta el infinito. Había murallas de piedras enormes con puertas de las ruinas antiguas. Había fuentes, plantas grandísimas y templos tremendos. Elena pensaba que todo era un espectáculo increíble. Todo era grandísimo.

—Los incas eran artistas. Eran artistas que trabajaban en las piedras —le explicó la Sra. García—. Estas ruinas han sobrevivido durante siglos a pesar de los terremotos violentos y los conquistadores. ¿Puedes creerlo, mi hijita?

Elena no respondió. La mamá le pidió a Elena que le acompañara a la cumbre de una de las montañas. Elena no tenía muchas ganas de hacerlo. Estaba sufriendo por la altitud. El Cusco está a aproximadamente 3,300 metros sobre el nivel del mar. ¿Cuál sería la altura de las montañas en Ollantaytambo? Elena no entendía por qué su madre quería que subieran una montaña tan alta.

—Elena, vamos. Vamos a subir —le dijo su madre agarrándole del brazo.

—Estoy tan emocionada de estar aquí. Jamás he visto algo parecido. Vamos, mi amor.

Elena no se quejó más. En vez de seguir protestando, comenzó a caminar al lado de su madre. Las dos iban bastante despacio por la altitud. No había tanto aire en las montañas del Perú.

—¿Sabes, Elena?, hay un cuento romántico de este pueblo.

—¿Qué cuento es? —le dijo Elena a su madre con respeto.

—Un hombre inca llamado Ollantay fundó Ollantaytambo. Era el más poderoso de todos los generales de los incas. Ollantay se enamoró de la hija del rey.

—Por supuesto. Siempre hay un hombre que se enamora de la hija del rey. ¿Quién no se enamoraría de ella? ¿Por qué no se enamoran esos tipos de chicas comunes? —preguntó

Elena.

La mamá se rió.

—Por supuesto que Ollantay no podía casarse con la hija del rey.

—¿Por qué no?

—Ollantay no tenía sangre real. Por eso, salió del Cusco con un grupo de hombres y construyeron esta ciudad bonita. Quería construir la ciudad y después volver para secuestrar a la hija del rey.

—¿Qué sucedió? ¿Volvió? ¿Capturó a la hija? ¿Qué pasó con el rey? —preguntó Elena con interés.

—Antes de que Ollantay terminara de construir la ciudad, el rey se murió.

—Qué suerte tuvo Ollantay. Ya no tuvo que preocuparse por el rey —agregó Elena.

—Después de la muerte del rey, el hijo tomó control de todo. No le importaba con quién se casara su hermana, así que dejó que ella saliera con Ollantay —explicó la madre.

—Así que todo resultó bien después de todo —dijo Elena.

—Sí. Y ahora tenemos esta ciudad fantástica —le dijo la madre a Elena.

Le pareció a Elena que ya habían caminado varias horas. Por fin alcanzaron la cumbre de la montaña. La vista era increíble. Elena podía ver hasta el infinito. El valle se veía muy hermoso desde arriba. Las montañas eran súper grandes e impresionantes. Había árboles en el fondo. Había pasto verde en las terrazas.

En los senderos vio unas llamas. En una montaña había la cara de un hombre, una cara enojada.

—¿Quién será ese hombre enojado allí en la montaña? —preguntó Elena.

—Es la cara de un dios de los incas —respondió la madre—. Nadie sabe cómo se sentían los incas. Nadie sabe como hicieron eso los incas.

—¿Qué dios es? —preguntó Elena.

—Es Viracocha, el dios blanco. Dijeron que tenía ojos azules, piel blanca y barba.

—¡Oh! —dijo Elena—. La historia de los incas es interesante.

—Claro que sí. Es una historia muy interesante —respondió la Sra. García.

Durante un rato caminaron por las ruinas sin hablar. Luego les dio hambre y tenían que volver. Era mucho más fácil bajar por la montaña que subir.

Elena tenía ganas de comer, así que caminó con apuro. Pensaba en lo feliz que era su mamá en el Cusco. Era mayor que ella pero no se quejaba como Elena. Elena caminaba apurada. Su madre le gritó:

—Cuidado Elena. No te caigas.

Elena no prestó mucha atención a su madre. Elena quería comer y quería apurarse. Elena le gritó:

—Mamá, estoy bien. No te preocupes. Estoy bien.

Elena se dio vuelta. Quería ver cómo iba su mamá. En ese mismo momento, su madre se resbaló. Todo sucedió en un instante. Elena no pudo hacer nada para ayudar a su mamá. Elena le gritó:

—¡Mamá! ¿Estás bien? ¿Qué pasó?

Elena corrió donde su madre. Vio sangre. Se había golpeado la cabeza contra una piedra. Elena vio que su madre estaba inconsciente. Su cara estaba pálida.

—¡Mamá! ¡Despiértate! ¡Mamá!

Elena gritó:

—¡Ayúdenme! ¡Ayúdenme, por favor! — Elena no sabía qué hacer. ¿Es posible que se haya muerto su madre? Elena siguió gritando:

—¡Ayúdenme! ¡Ayúdenme!

Capítulo seis

Todo pasó muy rápido. La mamá de Elena estaba inconsciente. De repente apareció un hombre rubio. Era un doctor americano. Elena no podía creer que tenía tanta suerte. Allí con ella estaba un doctor de Estados Unidos que hablaba inglés.

El hombre examinó a la Sra. García y escuchó el latir de su corazón. Examinó sus piernas y brazos.

—Tenemos que llevarle al hospital inmediatamente —dijo el doctor.

—¿Hay hospitales aquí en el Perú? —preguntó Elena y luego pensó que la pregunta fue muy tonta.

—Tenemos que llevarle al hospital en el Cusco. Está herida y es grave. Es posible que tengamos que operarle —dijo el doctor.

Elena se sentía enferma. ¿Operación? ¿Qué le había pasado a su madre? ¿Qué más podría pasar? ¿Qué haría? ¿Qué haría si su madre se muriera? Era la primera vez que Elena se sentía así. Tenía miedo de que les pudiera pasar lo peor a su madre y a ella.

Elena comenzó a llorar. Lloró sin cesar. Siguió llorando porque estaba muy triste. Siguió llorando porque tenía miedo. Nunca había tenido tanto miedo. Temía que su madre se muriera.

Lo único bueno ahora era el doctor. Él era increíble. Él lo hizo todo. Se llamaba Ken Sloan y vivía cn Thousand Oaks, California. Estaba en el Perú como voluntario. Estaba pasando seis semanas en el Perú ayudando a los huérfanos. Por casualidad había ido a Ollantaytambo en su día libre.

El Dr. Sloan logró llamar una ambulancia para que llevara a la madre de Elena al hospital en el Cusco. El doctor entendía como se sentía Elena y hablaba con ella tratando de tranquilizarle. Elena y el doctor fueron juntos en la ambulancia con la madre de Elena.

—No te preocupes —le dijo el doctor a Elena—. Tu madre se mejorará.

Elena sabía que el doctor estaba tratando de calmarle. Ella pensaba que el doctor también estaba preocupado por la salud de su mamá. No estaba segura pero eso pensaba. Elena estaba muy asustada.

Cuando llegaron al Cusco, los doctores y las enfermeras atendieron a la madre de Elena. Elena no sabía qué hacer. Ella se preguntaba: "¿Voy con los doctores? ¿Me quedo en la sala de espera? ¿Cuándo me dirán qué hacer? ¿Me avisarán si mi mamá muere? ¿Cómo le dicen a una persona que un ser querido se ha muerto?" Todo le pareció una pesadilla.

—Elena —le dijo el doctor Sloan—, tengo que irme. Lo siento mucho pero no me puedo quedar más tiempo. Tengo una cita urgente.

Elena no lo podía creer. ¿Por qué la única persona en la que confiaba tenía que abandonarle? ¿Por qué tenía que irse en ese momento tan importante? Elena no sabía si podía hablar con los doctores peruanos porque su español no era tan bueno. No quería estar sola en el hospital. Estaba muy agradecida por la ayuda del buen doctor pero no quería que se fuera. El buen doctor había pasado horas con ella, pero Elena pensaba que habría sido mucho mejor si el doctor se hubiera quedado un poquito más tiempo al menos hasta que supieran si su madre sobreviviría o no.

Antes de irse, el doctor le sugirió a Elena que fuera a su hotel en taxi. Le explicó que no podía hacer nada en el hospital y que los doctores estaban haciendo todo lo posible para ayudar a su madre. También le explicó que los doctores le avisarían cuando supieran más sobre el estado de su madre.

Elena no podía salir y dejar a su madre sola en el hospital. Además necesitaba el pasaporte de su madre y su información médica. Elena no tenía dinero tampoco. Sabía que el hotel no estaba muy lejos y que podría volver rápidamente del hotel cuando fuera necesario, pero a pesar de todo, decidió quedarse.

Elena se sentó en un sofá pensando. Pensaba en el doctor y en el Perú, pero más que nada pensaba en su madre. Su madre había querido venir al Perú. Quería que Elena la acompañara. Elena se dio cuenta de que había sido un poco egoísta durante el viaje. Su madre era tan buena. El doctor también. Y Elena se había portado como si fuera una niña de dos años.

Elena siguió pensando y esperando que pronto apareciera algún doctor con noticias de su madre. Elena quería creer que su madre sobreviviría. Allí estaba Elena en un país extraño sin saber si su madre estaría viva mañana.

Capítulo siete

Habían pasado horas. Elena no pudo esperar más tiempo en el hospital. Un hombre en el hospital le dio la cartera de su madre. Elena decidió volver al hotel. Tenía que salir y tratar de pensar en otra cosa. Salió y buscó un taxi. Se bajó del taxi que la llevaba al hotel. Vio a un chico con chocolate.

—¡Señorita! ¡Señorita! —le gritó—. ¿Quiere comprar chocolate?

Es súper bueno.

Elena no quería ver a un mendigo. No quería que nadie la molestara.

No quería hablar con nadie. No quería comprar nada. Solo quería que todos le dejaran en paz.

—¿Quiere chocolate? —le dijo en chico de nuevo.

Elena vio que era Marco. Estaba usando unos jeans súper grandes. Su camiseta también parecía demasiado grande. Su cara estaba sucia. Su pelo no estaba limpio. Marco estaba sonriendo. Con esa sonrisa grande le dijo en inglés:

—¡Oh! Es usted, Srta. Elena. ¿Dónde está su madre?

Marco habló en inglés. Eso le sorprendió muchísimo a Elena. No sabía que Marco podía hablar inglés.

—Marco, ¿hablas inglés?

—Claro —le respondió Marco—. Es más o menos obligatorio aquí hablar inglés para poder vender a los turistas. La mayoría no hablan español.

El chico tenía una sonrisa brillante. Sus ojos estaban llenos de vida. Era un niño muy lindo, algo de lo que Elena no se había dado cuenta antes.

—¿Quiere chocolate? —le preguntó Marco.

Elena se dio cuenta de que tenía hambre. Estaba tan preocupada por su madre que no había comido. Ni había pensado en comer.

—¿Sabes? Me gustaría un chocolate —le respondió Elena.

Marco se sorprendió.

—OK. Tome —le dijo.

Elena le pagó con unas monedas de la cartera de su madre. Marco se despidió:

—Hasta luego.

—Espera —le dijo Elena—. ¿Quieres chocolate?

Marco otra vez se sorprendió. Nadie le había ofrecido chocolate a él.

—Digo, ¿quieres un poco del mío? —le preguntó Elena.

Marco le respondió:

—Sí, gracias.

Elena le dio algunas monedas más a Marco.

—Toma. Para ti. Siéntate y cómelo conmigo —le dijo Elena a Marco.

Marco tenía una expresión de preocupación en su cara. Además parecía un poco asustado.

—Mejor no —le respondió.

—¿Por qué no? —preguntó Elena.

—No quiero que Danilo me vea. Pensará que soy flojo —contestó Marco.

— ¿Quién es Danilo? —preguntó Elena.

—Es mi hermano mayor —dijo Marco y vio hacia atrás.

—Tal vez nos vemos después —le dijo Marco—. Quédese con el chocolate.

Marco sonrió.

—Gracias, señorita Elena —le dijo y luego le preguntó:

—¿Dónde está su mamá?

Elena miró a Marco. No sabía qué decirle. ¿Cómo podría explicarle donde estaba su mamá? Vaciló un rato. Por fin dijo:

—Marco. Mi mamá está muy mal. Está en el hospital. Está grave. No sé si sobrevivirá o no.

—Lo siento —le dijo Marco con tristeza—. Mi mamá se enfermó también. Estuvo enferma mucho tiempo.

—Lo siento, Marco.

—Se murió —le dijo Marco a Elena—. Se fue al cielo.

Elena no se sintió bien al oír eso. Tenía un sentimiento muy raro en su estómago. No quería oír que ese niño había perdido a su madre. Elena realmente no pensó que la mamá de Marco se había muerto de verdad.

Marco se animó. —Me voy. ¿Quiere más chocolate?

Elena no quería más chocolate. No quería chocolate. Lo único que deseaba era que su mamá se mejorara. No podía aguantar pensar que tenía que vivir sin su madre. Empezó a llorar. Tenía vergüenza de llorar frente a Marco pero no podía controlarse.

—Está bien. Dame dos chocolates más —le dijo a Marco.

Marco le dio dos chocolates. También le dio un abrazo.

—Siento lo de su mamá.

Marco salió corriendo. ¿Adónde habrá ido? Había desaparecido tan rápido. Elena volvió al hotel. Quería saber si habían llamado del hospital.

Capítulo ocho

Al volver al hotel, Elena recibió malas noticias. Su mamá no se había mejorado. Estaba en coma. Se había lastimado la cabeza. Estaba en un hospital que no era tan bueno. Todo en el hospital era blanco. Las paredes, la ropa de las enfermeras y los doctores y las sábanas eran blancas. Elena quería que hubiera colores diferentes en el cuarto de su madre.

Ya había pasado tres días después del accidente. Los doctores no tenían idea de cuándo se despertaría su madre. Solo dijeron que sería mejor que durmiera más. Elena no quería que durmiera más. Quería que se despertara enseguida. Elena no estaba segura si su mamá se despertaría.

Las enfermeras en el hospital se portaban muy bien con ella. Le sonreían mucho. Le daban agua. Querían saber si podían ayudar a Elena de alguna manera. Las enfermeras llamaron a los abuelos de Elena en Colorado para que supieran la situación. Más que nada las enfermeras seguían consolando a Elena.

—Todo va a salir bien. No te preocupes. Tu madre se va a mejorar —le decían palabras así a menudo.

Esas palabras realmente animaban a Elena pero ella no estaba segura de que estaban diciendo la verdad. ¿Cómo sabían que su madre se mejoraría? ¿Las enfermeras siempre hablan así?

Elena se sentía muy sola. Le costaba estar en el Perú. Le costaba entender el español de los peruanos. Pasó la mayoría de su tiempo en el hospital al lado de su madre. Esperaba que en cualquier momento se despertara. Pero nada cambió. Siguió dormida. De vez en cuando su madre hacía una cara o movía una pierna. A veces le pareció a Elena que se despertaría. Pero no. Siguió inconsciente sin despertarse.

Tenía una expresión de paz en su cara. Era como si estuviera en el cielo. Elena quería sacudirle para que se despertara. Quería gritar: "Mamá. Despiértate ya. Vamos a ver más ruinas. Ya llegó nuestro equipaje. Vamos a caminar por el sendero inca. Vamos a tomarle una foto a una llama. Comamos cuy".

Era increíble pero a Elena ahora comer cuy con su madre le parecía divertido. No le parecía mal comer ese animalito. Sería buenísimo comer cualquier cosa con su madre.

Elena se dio cuenta que algo había cambiado. Su actitud hacia casi todo era diferente. No podía creer cómo se había portado cuando llegó al Perú. Ahora estaba triste y asustada. Le costaba hablar español con las enfermeras. No tenía con quien hablar. Ya no le importaban ni la secadora ni sus amigas ni sus cosas. Solo quería que su madre se mejorara.

Esa noche salió del hospital como había hecho antes. Tomó un taxi. Al volver por las calles estrechas del Cusco, Elena observó los edificios de la ciudad. Casi se había olvidado que estaba en el siglo XXI.

Elena estaba cansada. No entendía por qué estar sentada en un cuarto en el hospital le cansaba. El taxi le dejó frente a su hotel. Antes de entrar, Elena oyó una voz.

—Señorita Elena. Señorita Elena.

Se dio vuelta y vio a Marco.

—¿Cómo está su madre?, señorita Elena.

Elena se puso muy contenta al ver a Marco. Por fin vio a alguien con quien se podía comunicar. Aunque era un niñito, sabía hablar inglés y era como un amigo. Más que nada, Marco conocía a su madre.

—Está bien —dijo Elena mintiéndole. Le mintió porque no quería que Marco se preocupara.

—¡Qué bueno! —le respondió Marco.

—¿Quiere comprar más chocolate?

Elena miró a Marco. Era tan flaco. Sus brazos parecían palitos. Se preguntaba si el chico comía mucho.

—¿Tienes hambre? —le preguntó.

Asintió que sí.

—¿Quieres salir a cenar conmigo? —le preguntó Elena a Marco.

—También tengo hambre.

Marco se alegró. Era como si le hubieran dado un regalo de Navidad.

—Vamos a cenar en un restaurante —le dijo Elena.

—No te preocupes de Danilo, tu hermano. Te compraré comida extra para que se la lleves a él.

—Gracias, señorita Elena —le respondió Marco.

Los dos caminaron a un restaurante cercano y entraron. Se sentaron. Elena no había comido mucho durante los últimos días. Miró el menú. Estaba todo en español pero lo podía leer. Su español se había mejorado un poco con solo una semana en el Perú. Vio una sopa hecha de camarones, leche, huevos, papas y pimientos. Había ceviche, un plato peruano que tiene pescado crudo marinado, servido con maíz, frijoles y cebollas. No le gustaba el pescado crudo. Vio que tenían un lomo saltado, un bife servido con cebollas, pimientos y arroz. Todo le pareció bueno menos el cuy y el pescado crudo.

Pidió papas a la huancaína. Este plato tenía papas amarillas con queso y una salsa. Le pareció muchísimo mejor que el cuy. Marco pidió causa rellena, un tipo de queque de papas relleno de pollo. Todo estaba servido con arroz y frijoles. Pidió una chicha morada para beber. Era una bebida hecha de un jugo de maíz. Elena recordó que su madre había dicho que era una bebida de los tiempos de los incas. Sintió tristeza al recordar a su madre.

La comida llegó. Marco comió rápido. Para ser un niño de ocho años comió muchísimo.

—Tengo hambre— dijo Marco—. No desayuné.

¿Desayuno? Ya era tarde. Marco no había comido durante todo el día.

—Marco, ¿almorzaste? —le preguntó Elena.

—Lo único que comí fue una barra de chocolate —contestó Marco. Tenía vergüenza porque había comido algo que debía vender.

—Por eso tienes hambre —le dijo Elena—. Come lo que quieras. Si quieres comer más, podemos pedir más.

Marco sonrió.

—¿Podríamos pedir picarones?

—¿Qué son picarones?

—Donas con jarabe —le respondió Marco.

Elena miró a Marco. Era muy lindo.

—¿Dónde vives?

—Vivo afuera del Cusco —le respondió Marco.

—¿Vienes al Cusco todos los días? —le preguntó Elena.

Marco comió un poco de arroz y le respondió:

—Sí, vengo con mis hermanos todos los días.

—¿Cuántos hermanos tienes?

—Tengo dos hermanos mayores.

Elena se preguntaba si los hermanos eran tan lindos como Marco. Probablemente lo eran.

—Mis hermanos son malos —le dijo Marco—. Me pegan si no vendo bastante. Trato lo mejor que puedo pero a veces vendo poco. Además, me quitan el dinero.

A Elena no le gustaron los hermanos de Marco. ¿Por qué le pegarían a un niño tan lindo?

¿Cuántos años tienen? —le preguntó Elena a Marco.

—Uno tiene diez años y el otro tiene doce —le replicó. —Juan tiene diez años y Danilo tiene doce.

Elena se sentía triste. Diez y doce años. Eran tan pequeños. Realmente eran niñitos, solo niñitos.

—¿Viven ustedes con su padre? —le preguntó. Elena se acordaba que su madre se había muerto. Marco siguió comiendo.

—No tengo mamá ni papá.

Elena dejó de comer. Recordó lo que su madre había dicho acerca de los huérfanos en el Perú. Era una vida triste. Esos chicos no tenían mucha esperanza de tener un buen futuro. Vivían para comer.

—¿Vas a la escuela? —le preguntó Elena.

—¿Escuela? No tengo dinero. Tengo que vender. Tengo que trabajar. No puedo ir a la escuela. Ojalá pudiera —le contestó Marco.

Elena se sentía triste por Marco. Trabajaba duro. Pero era solamente un niñito. ¿Jugaba? ¿Iba a fiestas de cumpleaños? ¿Jugaba a los juegos de video? ¿Se divertía como los niños en los Estados Unidos?

Elena pensaba que no.

—Parece que trabajas muchísimo.

Marco asintió:

—Sí. Es verdad. A veces nos roban. Eso me asusta —dijo Marco.

—Parece que es muy peligroso —le contestó Elena.

A Elena le quedaba comida en su plato.

—¿Quieres? —le dijo Elena, empujando el plato hacia Marco.

Marco comió más.

—Me tengo que ir —le dijo—. Gracias por ser tan buena conmigo. Me gustaría pasar más tiempo con usted pero no puedo. Tengo que reunirme con mis hermanos. Tenemos que volver a casa. Hace frío de noche aquí.

Elena puso el resto de la comida en una bolsa para los hermanos. Miró mientras Marco se preparaba para salir.

—¿Marco, te gustaría cenar conmigo mañana?

—¡Claro que sí! —le respondió Marco con mucha alegría.

Le dijo que volviera al mismo restaurante a la misma hora al día siguiente. Elena no quería que Marco tuviera hambre. Era un niñito. Por un instante, Elena se había olvidado de sus problemas.

Capítulo nueve

Elena se despertó temprano. Fue a un café internet. Quería saber si había recibido algún correo electrónico. Se puso contenta cuando vio que su amigo José había escrito. José le contó lo que estaba pasando en su vida.

Elena le respondió a José. Le contó que su mamá estaba en el hospital. No sabía si sobreviviría o no. No sabía cómo podría vivir sin ella. También le contó sobre Marco. Se había dado cuenta que tenía suerte de poder comer cada día. Había aprendido a apreciar lo bueno del Perú. Más que nada, quería que su madre se mejorara.

Elena salió del café internet y volvió al hotel. Al entrar le avisaron que le habían llamado del hospital. Le avisaron que fuera allá inmediatamente. Elena se asustó. ¿Qué habrá pasado? ¿Se habrá muerto su mamá? ¿Por qué querían que fuera al hospital enseguida? Elena caminaba despacio hacia el hospital para evitar las malas noticias. Quería que el tiempo parara. Quería que su madre sobreviviera pero si realmente se había muerto, no quería saberlo.

Cuando llegó al hospital, fue inmediatamente a hablar con el doctor peruano que estaba a cargo del caso de su mamá. El doctor Mamani le dijo:

—Hola, Elena. Me alegro que hayas venido. Quería que supieras las noticias lo más pronto posible.

Elena no quería oír las noticias. Temía lo peor. El doctor siguió hablando:

—Tengo buenas noticias.

Elena no lo podía creer. ¿Sería posible que hubiera buenas noticias?

—Elena, tu mamá se ha despertado —le dijo el doctor Mamani.

Elena comenzó a llorar. Estaba muy contenta.

El doctor Mamani siguió hablando:

—Nos habíamos fijado que ayer movía los brazos y las piernas. Anoche trató de hablar. Esta mañana se despertó. Estaba hablando y preguntó por ti.

—¡Qué bien! —dijo Elena—. Quiero verla

ahora mismo. ¿Será posible?

—Tu madre va a estar bien. No te preocupes. Va a tener que pasar unos tres o cuatro días más en el hospital pero va a estar bien. Tu madre es muy joven. Eso le ha ayudado con todo esto.

Elena nunca antes había pensado que su mamá fuera tan joven pero ahora le gustaba la idea de que su mamá era una mujer joven.

¿Puedo verla ahora? —preguntó Elena.

—En este momento no se puede porque está dormida. Cuando se despierte, vas a poder verla. Ella estará muy contenta cuando te vea.

Media hora más tarde, Elena entró en el cuarto de su mamá. Se sorprendió al verla despierta. Hacía tiempo que no la veía así. Fue corriendo hacia su cama y la abrazó.

—Mamá, estoy tan contenta de verte viva, joven y sana.

—Hola, mi hijita. Me alegro de verte.

A Elena le sonaba muy bien la voz de su madre. Era maravilloso por fin poder hablar con ella.

—¿Cómo te sientes? —le preguntó Elena a su madre.

—No muy bien. Me siento como si me hubiera caído del techo de una casa —le dijo la mamá.

—Creo que te sientes así porque eso es lo que sucedió. Estuvimos en Ollantaytambo y te caíste. Me imagino que ya sabes eso.

—Me han dicho eso los doctores pero no me acuerdo. No recuerdo nada de lo que pasó —replicó la mamá.

—Me asustaste. Tenía miedo de que no sobrevivieras —le dijo Elena.

—Yo también me asustó — le respondió la mamá.

—No sé lo que haría si no estuvieras conmigo —le respondió Elena.

—No te preocupes. Estaré bien. Estoy bien.

—¿Estás segura? —le preguntó Elena.

—Segurísima. Así me lo ha dicho el doctor y los doctores no se equivocan nunca —le dijo la Sra. García riendo.

—Tal vez podamos ir a Machu Picchu —le dijo Elena.

La madre se rió.

—No me siento capaz de hacer eso. Creo que me equivoqué cuando te traje al Perú.

—Mamá. No digas eso. Es bellísimo aquí. Me encanta este país —le dijo Elena.

—Elena. ¿Estás enferma? ¿Eres la misma chica que vino aquí conmigo? ¿Qué te ha pasado? —le preguntó la madre.

—No, creo que no soy la misma chica. Todo es bello aquí. La gente es buenísima. Todo es hermoso. Las montañas son increíbles. No hay nada como los edificios del Cusco —le dijo Elena.

La madre no podía creer lo que su hija estaba diciendo. Parecía como si Elena fuera la que se golpeó la cabeza.

Entró la enfermera.

—Es hora de desayunar, Sra. García. El doctor estará aquí dentro de unos minutos.

La Sra. García comió con gusto. Huevos, salchicha, pan tostado y café. No le habían traído ningún plato con cuy. Elena observaba a su madre mientras comía. Su madre parecía estar bien. Elena estaba muy contenta de que estuviera bien. Estaba contenta de que estuviera comiendo y charlando. Estaba contenta de que estuviera viva y sana.

En unos minutos entró el Dr. Mamani. La Sra. García todavía estaba comiendo. El era un hombre medio bajo con pelo castaño. Aunque hablaba en español, Elena lo podía entender. Se sintió muy orgullosa de poder entender tanto español.

—Tu madre tuvo mucha suerte —le dijo el doctor. —Se está mejorando. Le va muy bien ahora.

—Sé que ha tenido suerte —le dijo Elena. —Y yo también.

El doctor le sonrió.

—Sí, es cierto.

Capítulo diez

Ya habían pasado tres días. Elena esperaba que su madre saliera del hospital hoy. Fue al hospital para ver si era cierto que salía.

Cuando llegó, supo las buenas noticias. Por fin saldría del hospital, era seguro.

Hoy Marco estaba con Elena. Elena y Marco ya eran buenos amigos. Elena le dijo a Marco que él era el hermanito que nunca había tenido. El era muy tierno. Elena no podía creer que Marco viviera solo con sus hermanos.

Marco y Elena entraron en el cuarto de su madre. Ella estaba sentada en su cama. Estaba vestida con jeans y una camiseta anaranjada que decía: "Sobreviví el sendero inca". Ella se veía muy bien. Elena estaba muy contenta de que por fin su mamá iba a salir del hospital.

—Mamá —le dijo Elena—, ¿recuerdas a Marco?

—Sí, claro —le respondió dándole un abrazo a Marco—. Me ha dicho Elena que tú y ella son buenos amigos ahora.

—Elena es muy buena. Es mi amiga. Lo hemos pasado bien —dijo Marco.

—Ella también lo ha pasado muy bien contigo, Marco —le dijo la Sra. García.

Alguien abrió la puerta. Entró el doctor Sloan, el doctor americano que ayudó a su madre después de su accidente.

—¡Doctor, me alegro muchísimo de verle! —gritó Elena.

—Oí decir que su madre sale del hospital hoy. Quería pasar para ver cómo está —respondió el doctor.

—Mamá, éste es el doctor que te ayudó cuando te caíste. ¡Te salvó la vida! —dijo Elena.

—No hice mucho. Estaba allí no más. Me alegro mucho de que se haya mejorado.

El doctor miró a Marco y dijo:

—¿Quién es este chico?

—Soy Marco.

El doctor le dio la mano a Marco. Le dijo:

—Mucho gusto, Marco.

De repente se le ocurrió una idea a Elena.

—Marco —dijo—, el doctor trabaja con los

niños en el Centro del Sol en el Cusco. Enseña inglés y juega con los chicos allí. Tal vez te gustaría ir allá para aprender más inglés.

Elena vio la cara de Marco. No le parecía buena idea lo del centro. Marco sabía que los niños de la calle no iban a lugares así.

—Nos divertimos mucho en el centro. Estamos construyendo un salón nuevo para los niños. El salón es para ayudar a los niños con la tarea y con problemas de salud —respondió el doctor—. Tratamos de conseguir que los niños del centro vayan a la escuela en vez de tener que trabajar.

Marco no iba a la escuela. No era posible que fuera a la escuela. De ninguna manera podía ir a la escuela porque tenía que vender. Tenía que vender para sobrevivir. Pensaba que sería un sueño si no tuviera que trabajar.

—Marco, ¿sabes? Además comemos muy bien. Comemos alfajores con manjar —le explicó el doctor.

Marco nunca había probado manjar pero sabía lo que era. Sabía que era un dulce de leche y que era muy dulce.

—También jugamos fútbol —le dijo el doctor—. Quiero ayudarte de alguna forma para que tengas la oportunidad de ir a una escuela. Es lo que hacemos en el centro. Sabes que sería un privilegio increíble si pudieras asistir a la escuela.

Ahora sí Marco estaba interesado. Siempre había soñado con ir a la escuela. También le encantaba jugar fútbol. A todos los peruanos les encanta jugar fútbol. Los ricos, los pobres, todos juegan fútbol. Marco soñaba con jugar fútbol y con ir a la escuela.

Elena opinaba que Marco jugaba poco porque estaba muy ocupado vendiendo sus cosas.

—Me encanta jugar fútbol —le dijo Marco—. Quiero jugar fútbol. Me encantaría ir a la escuela. Sería como un sueño para mí.

—Tus hermanos podrían jugar también. Todos pueden ir para jugar, comer y divertirse —le explicó Elena.

—Es posible que consigamos que ellos también vayan a la escuela —dijo el doctor—. Es la misión del centro.

—¡Qué bueno! —respondió Marco—. Parece que sería muy divertido. Me gustaría hacerlo. Sería fantástico que fueran mis hermanos también.

—Gracias, doctor —dijeron Elena y su madre al mismo tiempo.

—Salgamos —le dijo la madre a Elena—. Estoy harta del hospital. Es tiempo de que salgamos. Ya he pasado suficiente tiempo aquí. Vamos. Tenemos cosas que hacer. Me gustaría comer cuy.

—¿Y el sendero inca? —le preguntó el doctor.

—Creo que no. Tendremos que esperar hasta la próxima vez —le respondió la Sra. García.

—¿La próxima vez? —preguntó el doctor.

—Sí, la próxima vez —dijo Elena—. No cabe duda de que vamos a volver.

—Elena, ¿qué estás diciendo? ¿Quieres volver?

—Mamá, me encanta el Perú. Es bellísimo.

La madre se levantó y se puso su sombrero peruano. Se le ocurrió a Elena decir que el sombrero era feo pero no lo hizo.

—Me gusta tu sombrero —le dijo Elena.

Madre, hija y Marco salieron del hospital para gozar del brillante sol del Cusco.

VOCABULARIO

Unless a subject of an active verb in the vocabulary list is expressly mentioned, the subject is third-person singular. For example, *agregó* is given as *added*. In complete form this would be *she, he* or *it added*.

All verb forms that are not completely regular are listed. So are all of the many subjunctive forms along with the contexts in which they occur in the story.

One of the tricky things that might fool you in *Vida o muerte en el Cusco* is a "false friend," a word or phrase that seems to mean one thing because it looks or sounds like a word or phrase in English but actually means something else. *Familiar*, the Spanish word for the adjective *family* is an example (though it also means *familiar*). Some words are rarely used except in certain expressions, for example, *ganas* in *tener ganas (de hacer algo), to feel like (doing something)*.

Sometimes the way words fit together can be confusing, especially some of the little "function" words. For example, under *llevaran*, you'll find *para que se lo llevaran*, while under *lleves*, you'll find *para que se la lleves a él*. You'll notice that the meaning of *se* is a little different in these two clauses.

One important way that this story and this list can help you as you are learning Spanish is that you can see how words are put together in Spanish to express certain ideas. It is essential to understand clearly the meaning of each piece of a sentence in order to really know what is being expressed. Sometimes you may want to ask a Spanish teacher to explain the function of a word or of the ending of a word so that you can fully understand.

a to, at, into, onto, on
abandonarle to abandon him/her
abrazando hugging
abrazo hug (noun)
abrió opened
abuelos grandparents
aburrida bored (adj.)
acaso: por si acaso just in case
aceptó accepted
acerca de about
acercó: se les acercó came up to
them, approached them
**acompañara: quería que le/la
acompañara** wanted her to go with
her
acordaba: se acordaba remembered
acostarse to lie down
actitud attitude
acuerdo: me acuerdo I remember
además furthermore, besides
admitirlo to admit it
adónde where (to)
aeropuerto airport
afuera de outside
agarrándole del brazo grabbing her
by the arm
agitada upset, troubled
agradecida grateful
agregó added
agua water
aguantar to put up with, to stand
aguanto: no aguanto más I can't
take any more
ahora now
ahora mismo right now
aire air
ajo garlic
al (*a + el*) to the, at the, into the, on
the, onto the, in the
al (+ *infinitivo*) when (+ *past verb*

(when there is a past verb in the
same sentence)); examples:
al contestarle, E. le mintió
when she answered him, E.
lied to him
al despertar E. no se sentía
when she woke up, E. didn't
feel
al volver ..., E. recibió when
she got back ..., E. received
al volver ..., E. observó when
she got back ... E. looked at
se alegró muchísimo al ver she
was very happy when she saw
**se había equivocado al venir al
Perú** she had made a mistake
by coming to Peru
se rió al terminar de ... she
laughed when she finished ...
al día siguiente the next day
alcaldes mayors
alcanzaron they reached
aldeas villages
alegría happiness
alegro: me alegro I'm happy
alegró: se alegró was happy,
became happy
alejó: se alejó de moved away from
alfajores two round cookies with
manjar or jam between them and
covered with powdered sugar
algo something
alguien someone
algún some
allá, allí there, over there, down
there
almorzaste you ate
alpaca llama
alta tall
altitud, altura altitude

amarillas yellow
amiga friend
amor love
anaranjada orange
andaban en zapatos deportivos they were wearing athletic shoes
andan they walk
animaban they encouraged, they excited
animada lively, excited
animalito little animal
animó: se animó got excited
anoche last night
anterior before (adj.), previous
antes (de) before
anticuchos small pieces of grilled meat on a skewer
antigua ancient, old
año year
aparecer to appear
apareciera: siguió esperando que apareciera X kept hoping that X would appear
apetito appetite
apreciar to appreciate
aprender to learn
aprendido learned (p.p.)
aproximadamente approximately
apurada in a hurry, hurriedly
apurarse to hurry up
apuro: con apuro in a hurry, hurriedly
árboles trees
arrepentía: se arrepentía de haber venido was sorry for having come
arriba above
arroz rice
arruinado ruined (adj.)
asco disgust
  ¡qué asco! (how) gross!

así like that, like this
  así me lo ha dicho X that's what X said
  así que so
asintió affirmed
asistir a to attend
asombroso amazing
asusta scares
asustado scared (adj.)
asusté: me asusté I got scared
asustó scared
  se asustó got scared
atendieron a they attended to, took care of
atrás: vio hacia atrás looked behind himself
atrevo: me atrevo a I dare to
aun even
aunque even though
averiguar to find out
avión airplane
avisarán they will let know, will notify
avisarían they would let know, would notify
avisaron they let know (past), notified
ayer yesterday
aymará an Indian language
ayuda help (noun)
ayudar to help
ayúdenme help me (pl. command)
azules blue
bailar to dance
baile dance (noun)
bajar to go down
bajo short
bajó: se bajó got out
balcones balconies
baratas cheap

barba beard
barra bar
base foundation
bastante enough
beber to drink
bebida drink (noun)
bello beautiful
bien good, well, OK
bife steak
blanca white
blusa blouse
boca mouth
bolsa bag
bolsillo pocket
brazo arm
brillante bright
bueno: lo bueno the good (things)
buscar to look for
cabe: no cabe duda de there's no
  doubt
cabeza head
cada every
café café, coffee, brown
caído fallen
caigas: no te caigas don't fall
  (command)
caíste: te caíste you fell
caja box
calcetines socks
calle street
calmarle to calm her down
calor: hacía calor it was hot
cama bed
cámaras cameras
camarero waiter
camarones shrimps
cambiado changed (p.p.)
cambió changed
caminar to walk
caminata walk, hike (noun)

camiseta T-shirt
campana bell
cansaba: le cansaba tired her out
cansada tired (adj.)
capaz cabable
cara face
cargo: estar a cargo de to be in
  charge of
Caribe Caribbean Sea
cariño dear
carne meat
cartera purse
casara: no le importaba con quién
  se casara X didn't care who X
  married
casarse to get married
casi almost
caso case, situation
  hacer caso to pay attention
castaño brown
casualidad: por casualidad by
  coincidence
catorce 14
causa rellena potato cake with
  chicken sandwiched in the middle
cebollas onions
cena dinner
cenar to eat dinner
centro center, downtown
  lo del centro the matter of the
  center
cerca close (adverb)
cercano close (adj.)
cesar to stop
chao goodbye
charlando chatting
chica girl
chicha corn liquor
chico boy
chiste joke

cielo heaven
cierra closes
cierto true
circo circus
cita appointment
ciudad city
claro of course
  claro que sí yes indeed
cobija blanket
cocinada cooked
comamos let's eat
  para que … comamos so we …
  can eat
come eats; eat (command)
cómelo eat it (command)
comenzó began
comer to eat
comerlo to eat it
comida food
como like, as
cómo how
comprar to buy
compraran: quería que le com-
  praran … wanted them to buy …
  from her
compraré I will buy
compres: espero que no la
  compres I hope you won't buy it
comunes common
comunicar: se podía comunicar
  could communicate
confiaba trusted
conmigo with me
conocía knew
conocido met (p.p.)
conociera: donde a lo mejor nadie
  la conociera where nobody was
  likely to know her
conquistadores conquerors,
  conquistadors

conseguir que los niños vayan to
  make arrangements for the kids to
  go
consigamos: es posible que
  consigamos que ellos … vayan we
  might be able to make
  arrangements for them to go
consolando consoling
construida built (adj.)
construir to build
construyendo building
construyeron they built
contenta happy
contestarle: al contestarle, E. le
  mintió when she answered him, E.
  lied to him
contestó answered
contigo with you
contó told
contra against
controlarse to control herself
convenciste you convinced
convertirme to become (change
  myself)
corazón heart
correo mail
  correo electrónico email
corriendo running
corrió ran
cosa thing
costaba cost (past)
costumbre custom
creer to believe
creerlo to believe it
creo I believe
crudo raw
cuál what
cualquier any
cuando when
cuántas how many

cuarenta 40
cuarto room
cuenta: se daba cuenta was
  realizing
    se dio cuenta realized
    se había dado cuenta had
    realized
cuento story
cuero leather
cuidado be careful, watch out
cumbre peak
cumpleaños birthday
cuy guinea pig
da gives
    me da mucha pena it makes me
    feel really bad
daba: se daba cuenta was realizing
dado given
    se había dado cuenta had
    realized
dame give me (command)
dar to give
dándole giving him/her
de of, from, about
    las de aquí the ones here
debajo de underneath
debería should (conditional)
debía should (past)
decía said
decidió decided
decir to say, to tell
    oí decir I heard (someone say)
decirle to tell him, to say to him
dejar to leave
dejaran: pidiendo que le dejaran
  asking to let him
    **quería que todos le dejaran en
    paz** she wanted everyone to leave
    her alone
dejáramos de: ¿sería posible que

dejáramos de buscar ...? would it
  be possible for us to stop looking
  for ...?
**dejemos: diciendo que dejemos de
  comprar ...** saying that we should
  stop buying ...
dejó left; let, allowed
    dejó de ...r stopped ...ing
    dejó que ella saliera he let her
    leave
del (de + el) of the, from the
demasiado too much
dentro de inside
deportivos sports (adj.)
desaparecido disappeared
desayunar to eat breakfast
desayuno breakfast
descansar to rest, to relax
**descansemos: para que descanse-
  mos** so we can relax
descubrió discovered
desde from
    desde entonces from then on
deseaba desired, wanted
deseo wish, desire (noun)
despacio slowly
despertar to wake up
    al despertar E. no se sentía when
    she woke up, E. didn't feel
**despertara: esperaba que X se des-
  pertara** hoped that X would wake
  up
    quería que se despertara wanted
    her to wake up
despertaría: se despertaría would
  wake up
despertarse to wake up
despertó: se despertó woke up
despierta awake
despiértate wake up (command)

despierte: cuando se despierte
  when she wakes up (in the future)
después afterwards
  después de after
detrás de behind
día day
  todo el día all day
días: todos los días every day
dicen they say, they tell
dices you say
dicho said, told (p.p.)
diciendo saying, telling
diciéndole telling him
dientes teeth
dieciséis 16
digas: no digas don't say
  no me digas don't tell me
digo I mean
dijeron they said
dijo said, told
dinero money
dio gave
  le dio la mano a X shook hands
    with X
  les dio hambre they got hungry
  se dio cuenta de … she realized
    …
  se dio vuelta turned around
dios god
diputados deputies, representatives
dirán they will say
divertido fun (adj.)
divertimos: nos divertimos we
  have fun
divertirse to have fun
divirtiéndose having fun
doce 12
dolía: le dolía la cabeza her head
  hurt
doliera: hacía que la cabeza le

doliera made her head ache
donas donuts
donde, dónde where
dormida asleep
dormir to sleep
ducharse to take a shower
duda: no cabe duda de … no doubt
  …, for sure …
dulce candy, sweet
dura harsh
durante during
durmiera: quería que durmiera
  wanted her to sleep
  sería mejor que durmiera it
    would be better for her to sleep
duro hard
e and
echaba: lo echaba mucho de
  menos missed him a lot
edificios buildings
egoísta selfish
el the, the one
él he, him
electrónico: correo electrónico
  email
ella her, she
ellos them, they
emocionada excited
empezó began
empujando pushing
en in, on, at
enamora: se enamora falls in love
enamoran: se enamoran they fall
  in love
enamoraría: se enamoraría would
  fall in love
enamoró: se enamoró fell in love
encanta: les encanta jugar they
  love to play (it delights them to
  play)

me encanta I love it (it delights me)

me encanta jugar I love to play (it delights me to play)

encantaba: le encantaba he loved it (it delighted him)

encantaban: le encantaban she loved (they delighted her)

encantador delightful

encantar: te va a encantar you're going to love it (it's going to delight you)

encantaría: me encantaría ir I would love to go (it would delight me to go)

encantó: le encantó she loved it (it delighted her)

encontró found

encuentro I find

enferma sick

enfermera nurse

enfermó: se enfermó got sick

enojada angry

enorme enormous

enseguida immediately

enseña teaches

entender to understand

entendiera: para que X no les entendiera so that X wouldn't understand them

entiendo I understand

entonces then

entrar to enter, to go in

entregó delivered, gave

entretenerse to entertain themselves

entró entered, went in

envidiaba envied

equipaje luggage

equivocado: se había equivocado she had made a mistake

equivocan: se equivocan they make mistakes

equivocarse to make a mistake

equivoqué: me equivoqué I made a mistake

era was

eran they were

eres you are

esa that

escribió wrote

escrito written

escuchó listened

escuela school

ese, eso that

especialidad specialty

especialmente especially

espectáculo spectacle

espera wait (command)

  sala de espera waiting room

esperaba hoped, waited

esperando hoping

esperanza hope (noun)

esperar to wait

espero I hope

esperó a que su mamá volviera waited for her mom to come back

esposo husband

esquiar to ski

esta this

estaba was

estaciones seasons

estado state

estará will be

estaré I will be

estaría would be

este, esto this

estómago stomach

estos these

estoy I am

estrechas narrow

estudiaba studied

estuviera: como si estuviera as if she were

    estaba contenta de que estuviera was happy that she was

estuvieras: si no estuvieras if you weren't

estuvimos we were

estuvo was

evitar to avoid

explicarle to explain to him

explicó explained

extrañaba missed

extraño strange, weird

fácil easy

familiar family (adj.)

fascinantes fascinating

fea ugly

feliz happy

    lo feliz how happy

feo ugly

    lo feo how ugly

fiestas parties

fijado: nos habíamos fijado we had noticed

fin: por fin finally, at last

flaco thin

flojo lazy

flores flowers

fondo background

forma: de alguna forma somehow, in some way

frente a in front of

frijoles beans

frío cold

fue went

fuente fountain

fuera: como si fuera as if she were

    cuando fuera necesario whenever it might be necessary

le avisaron que fuera they notified her that she should go

le sugirió a E. que fuera he suggested to E. that she go

no era posible que fuera it wasn't possible for him to go

no le importaba que ... fuera it didn't matter to her that ... was

no quería que se fuera she didn't want him to go away

nunca antes había pensado que X fuera never before had she thought that X was

querían que fuera they wanted her to go

fueran: quería que las dos fueran wanted the two of them to go

    sería fantástico que fueran it would be fantastic if they went

    sería mejor que fueran it would be better for them to go

fueron they went

fuerte loud

fundó founded

fútbol soccer

ganas: me da ganas de vomitar it makes me feel like throwing up

    sin ganas de comer without feeling like eating

    tenía ganas de ...r felt like ...ing

gente people

golpeó: se golpeó she hit her head

golpeado: se había golpeado la cabeza she had hit her head

gozar to enjoy

grandísimo very big

grave serious

    está grave she's in serious condition

gritar to scream, shout, yell

guantes gloves
guía guide
gusta pleases
  me gusta I like (it) (it pleases me)
gustaba: le gustaba she liked (it pleased her)
gustan they please
  no le gustan he doesn't like them (they don't please him)
gustara: algo que le gustara something that she liked (that pleased her)
gustaría: les gustaría you would like (it would please you) (you pl.)
  me gustaría I would like (it would please me)
  te gustaría you would like (it would please you)
gustaron: no le gustaron she didn't like (they didn't please her)
ha has (auxiliary)
  lo ha pasado muy bien she's had a good time
haber to have (auxiliary)
había had (auxiliary); there was, there were
habíamos we had (auxiliary)
habían they had (auxiliary)
habitación (hotel) room
habla: se habla is spoken
hablar to talk, speak
hablara: quería que X hablara wanted X to talk
hables: no le hables don't talk to him (command)
habrá there will be; also the future form of the auxiliary *haber*, often used to express surprise or speculation, for example:
  ¿adónde habrá ido? where the

heck did he go?
  ¿qué habrá pasado? what the heck happened?
  ¿se habrá muerto ...? could she be dead?
habría would have (auxiliary)
hace does, makes
  hace ... años ... years ago
  hace frío it's cold (weather)
  hace sol it's sunny
  lo hace todo he does everything
hacemos we do
hacer to do
hacia towards
hacía: hacía tiempo que no la veía así it had been a while since she had seen her like that
hambre: tienen hambre they're hungry
han they have (auxiliary)
haría I/she would do
harta de fed up with
hasta until
  hasta luego see you later
hay there is, there are
  hay que it's necessary to
haya has (auxiliary)
  ¿es posible que se haya muerto? is it possible that she died?
  me alegro de que se haya mejorado I'm glad you've gotten better
hayas: me alegro que hayas venido I'm glad you've come
he I have (auxiliary)
hecha made (adj.)
hemos we have (auxiliary)
  lo hemos pasado bien we've had a good time
herida wounded

hermana sister
hermano brother
hermoso beautiful
hice I did
hicieran: quiso que las dos hicieran un viaje wanted the two of them to take a trip
hicieron they did
hierbas herbs
hija daughter
hijo son
historia history
hizo did, made
  hizo caso paid attention
hogar home
hombre man
hora hour, time
hoy today
hubiera: como si me hubiera caído as if I had fallen
  esperaba que hubiera hoped there was
  ojalá me hubiera quedado I wish I had stayed
  quería que hubiera she wanted there to be
  ¿sería posible que hubiera ...? would it be possible that there was ...?
  si (X) se hubiera quedado if (X) had stayed
  si algunas Xs hubieran venido if some Xs had come
hubieran: como si le hubieran dado as if they had given
huérfanos orphans
huevos eggs
iba was going, went
  cómo iba how she was doing
iban they were going, they went

idioma language
ido gone
  ¿adónde habrá ido? where the heck did he go?
iglesia church
imagino: me imagino I imagine
imperio empire
importaba: (a E.) no le importaba(n) ... (E.) didn't care about ..., ... didn't matter to E.
impresionada impressed
impresionantes impressive
inconsciente unconscious
increíble incredible
indicando indicating
indígenas indigenous
indios Indians
interés interest
interesante: lo interesante the interesting thing
invierno winter
ir to go
iremos we will go
irme to go
irse to leave, to go away
jamás never
Japón Japan
jarabe syrup
joven young
joyas jewels
juega plays
juegos games
jugar to play
jugo juice
juntos together
la the, her, it
  en la que in which
  a que the one who
lado side
  al lado de at the side of, beside

largo long
larguísimo very long
las the, them, the ones
  las de aquí the ones here
lástima pity
lastimado hurt
latino Latin
latinoamericanas Latin Americans
latir to beat
lavar to wash
le to him, to her, to you, her, him, you, in it, at her (the translation often depends on what is used with the verb in English)
leche milk
leer to read
lejos far away
les them, to them (the translation often depends on what is used with the verb in English)
levantó: se levantó stood up
leyó read (past)
libre free
limpio clean
lindo cute, beautiful
llamar to call
llegar a to arrive at, to get to
llegara: quería que (X) llegara wanted (X) to arrive
  antes de que llegara X before X arrived
llegaran: esperaba que llegaran las maletas was waiting for the suitcases to arrive
  se sentiría mejor cuando llegaran sus maletas she would feel better when the suitcases arrived
llegue: para que la gente llegue a la casa so that people can get home

llena full
llevaba carried, wore, brought
llevara: logró llamar ... para que llevara managed to call ... to take
llevaran: para que se lo llevaran so they could take it with them
lleves: para que se la lleves a él so you can take it to him
llorar to cry
lo him, it
  a lo mejor probably
  lo bueno the good (things)
  lo del centro the matter of the center
  lo de su mamá what's happening with your mom
  lo feliz how happy
  lo feo how ugly
  lo ha pasado muy bien has had a good time
  lo hemos pasado bien we've had a good time
  lo hizo todo did everything
  lo interesante the interesting thing
  lo malo the bad thing
  lo más pronto posible as soon as possible
  lo mejor the best
  lo peor the worst (thing)
  lo que what, which, that
  lo que quieras whatever you want
  lo único the only thing
  todo lo posible everything possible
logró achieved, succeeded
lomo saltado marinated steak, vegetables and fried potatoes, usually served over white rice
los the, them, the ones
luego later, afterwards

lugar place
lustrar to shine
madre mother
maíz corn
mal bad, in bad shape
malo: lo malo the bad thing
maleta suitcase
mamá mom
manera way
manjar thick spread that tastes like
  sweetened cream
mano hand
mañana tomorrow, morning
maquillaje makeup
mar sea
maravilla: era una maravilla was
  wonderful
    ¡qué maravilla! how wonderful!
maravilloso wonderful
marinado marinated
más more, most
  no más only, just
mascota pet
masticando chewing
mayor older
mayoría majority, most
me me, to me, for me, myself (the
  translation often depends on what is
  used with the verb in English)
media half
médica medical
medio middle
  Medio Oriente Middle East
mejor better, best
  a lo mejor probably
  lo mejor the best
mejorara: lo único que deseaba
  era que X se mejorara the only
  thing she wanted was for X to get
  better

quería que X se mejorara wanted X to get better
mendigo beggar
menos less, except for
  al menos at least
  echaba de menos missed
  más o menos more or less
menudo: a menudo often
mercado market
mesa table
mesero waiter
metió: se metió debajo de got
  under
metros meters
mi my
miedo fear
    me da miedo It scares me
    tenía miedo was scared
mientras while
mintiéndole lying to him
mintió lied
mío: el mío mine
mira look at (command)
  se mira looks at herself
mirar to look at
mis my
misa mass
misma: ti misma yourself
mismo same
  ahora mismo right now
modo: de otro modo in any other
  way
molesta bothers
molestaba bothered
molestándonos bothering us
molestara: no quería que nadie la
  molestara didn't want anyone to
  bother her
monedas coins
monstruo monster

montaña mountain
montón a lot
morada purple
morena brown
morir to die
mostró: se las mostró showed them
  to them
movía moved
mucho a lot, much
mueca: hizo una mueca made a
  face, frowned
muerte death
muerto dead; died (p.p.)
mujer woman
mundo world
murallas walls
muriera: si X se muriera if X died
  temía que X se muriera was
    afraid X would die
murió died
nada nothing
  más que nada more than anything
  nada de eso none of that
  no ... nada not ... anything
  no ... para nada not ... at all
nadie nobody
  no ... nadie not ... anybody
nariz nose
Navidad Christmas
necesitar to need
negro black
ni not even, neither, nor
  ni siquiera not even
ningún: no ... ningún not ... any
ninguna: de ninguna manera no
  way
  en ninguna parte nowhere
  no ... en ninguna parte not ...
    anywhere
  no tenía ningunas ganas de

comer didn't feel at all like eat-
  ing, had no desire to eat
niña girl
niño boy
nivel level
noche night
no más only, just
nombre name
Norteamérica North America
nos us, to us, each other (you and
  me) (the translation often depends
  on what is used with the verb in
  English)
  nos roban they steal from us
  nos vemos (I'll) see you, we'll see
    each other
noticias news
nuestro our
nuevo new
nunca never
observó observed
ocupado busy
ocurrió: se le ocurrió occurred to
  her
odiaba hated
ofrecido offered (p.p.)
oí I heard
  oí decir I heard (someone say)
oigo I hear
oír to hear
ojalá I wish
ojos eyes
olía a smelled like
olvidado forgotten
ombligo bellybutton
operarle to operate on her
opinaba thought, was of the opinion
oportunidad opportunity
orgullosa proud
oriente: Medio Oriente Middle

East
oro gold
oscurecer to get dark
otro other, another
  el otro the other one
oyó heard
padre father
pagar to pay
país country, nation
palabras words
pálida pale
palitos little sticks
pan bread
pantalones pants
papá dad, father
papas potatoes
para for, (in order) to
  no … para nada not … at all
  para que so that
  para ser un niño for a boy
parado standing
parara: quería que X parara she
  wanted X to stop
parecer to appear, to look like, to
  seem (like)
parecido similar
paredes walls
**pasado:había pasado un día horri-
ble** had had a horrible day
  lo hemos pasado bien we've had
    a good time
pasando: lo estaba pasando bien
  was having a good time
pasar to pass, to happen, to spend
  (time)
  pasar bien have a good time
pasillo hallway
pasto grass
paz peace
pedir to order, to ask for

pegan they hit
pegarían they would hit
peinado: se había peinado had
  combed her hair
peligroso dangerous
pelo hair
pena: me da mucha pena it makes
  me feel really bad
pensar (en) to think (about)
pensara: quería que X pensara
  wanted X to think
pensará will think
peor worse, worst
  lo peor the worst (thing)
pequeños little
perdido lost
pero but
peruano Peruvian
pesadilla nightmare
pesar: a pesar de despite
pescado fish
pidiendo asking, requesting
**pidiera: le pidió a X que le pidiera
… asked** X to order … for her
  quería que le pidiera … wanted
    her to order … for her
pidió asked, ordered
  le pidió a X que le acompañara
    asked X to go with her
  le pidió a X que le pidiera algo
    asked X to order something for
    her
pie foot
piedra rock
piel skin
piensas (en) you think (about, of)
  piensas comprar you're planning
    to buy
pierna leg
pimientos peppers

pintura painting (noun)
plata silver
plato plate
playas beaches
pobre poor
poco little
podamos: tal vez podamos maybe we can
podemos we can
poder to be able to
poderoso powerful
podía could (past)
podían they could (past)
podré I'll be able to
podremos we'll be able to
podría I/she/it would be able to, I/she/it could
podríamos we would be able to, we could
podrían they would be able to, they could
podrías you would be able to, you could
pollo chicken
poquito little (quantity)
por by, for, through
  por favor please
  por fin finally
  por mucho tiempo for a long time
  por qué why
porque because
portaban: se portaban they behaved
portara: quería que E. se portara wanted E. to behave
postal postcard
precio price
prefería preferred
preferido preferred (p.p.)

prefiero I prefer
pregunta question
preguntaba: se preguntaba she wondered (asked herself)
preguntó asked
preocupaba: se preocupaba worried
preocupación worry (noun)
preocupada por worried about (adj.)
preocupara: no quería que X se preocupara she didn't want X to worry
preocupes: no te preocupes don't worry (command)
preparaba prepared
prestar atención to pay attention
primero first
probado tasted (p.p.)
probó tasted
pronto soon
  lo más pronto posible as soon as possible
provecho: buen provecho enjoy your meal
próxima next
pruébalo taste it (command)
pudiera: tenía miedo de que les pudiera pasar lo peor a su madre y a ella was afraid the worst could happen to her mother and herself
  ojalá pudiera I wish I could
pudieras: si pudieras asistir a if you could attend
pudo could (past)
pueblo town, village
puede can
puerco pig
puerta door
puesto put on (p.p.)

puso put (past)
  se puso became, put on (past)
que that, which, than
  lo que what, which, that
  lo que quieras whatever you want
qué what, how
  por qué why
  ¡qué bueno! great!
  ¿qué tal si me das …? what if
    you give me …?, why don't you
    give me …?, how about giving
    me …?
quechua an Indian language
quedaba: a E. le quedaba … E.
  had … left
quedado: si se hubiera quedado if
  she/he had stayed
  ojalá me hubiera quedado I
    wished I had stayed
quedar: no me puedo quedar I
  can't stay
quedarse to stay
quédese stay (command)
quedo: ¿me quedo? do I stay?
quejaba: se quejaba complained
quejó: se quejó complained
queque cake
quería wanted, loved
querido: ser querido loved one
queso cheese
quien, quién who
  no tenía con quien hablar didn't
    have anybody to talk to
quieras: lo que quieras whatever
  you want
quiere wants
quince 15
quiso wanted
quitan: me quitan they take away
  from me

quizás maybe
raro strange
rata rat
rato a short time, a while
real royal
realidad reality
realmente really
recibió received, got
recordar to remember
**recordara: se sorprendió de que X
  recordara** was surprised that X
  remembered
recuerdas you remember
recuerdo I remember
recuerdos souvenirs
regalarle to give her
regalo gift
regateando bargaining
regresar to return, go back
reír to laugh
relleno filled, stuffing
rendida exhausted
repente: de repente suddenly
replicó responded
resbaló slipped
respeto respect (noun)
respondió responded
resto rest, remainder
resultó turned out
reunirme to get together
revés: al revés the other way around
rey king
rico delicious, rich
riendo laughing
rincón corner
rió laughed
  se rió laughed
riquísimo really delicious
roban: nos roban they rob us, they
  steal from us

rodeada surrounded
roja red
romano Roman
ropa clothes
rubio blond
sábanas sheets
sabe knows
   sabe a tastes like
saber to know
saberlo to know it
sabía knew
sacó took out
sacudirle to shake her
sala de espera waiting room
salchicha sausage
saldrá will turn out
saldremos we'll go out
saldría de would leave
salgamos let's leave
   es tiempo de que salgamos it's
    time for us to leave
saliera: dejó que ella saliera let her
  leave
   esperaba que X saliera de hoped
    that X would leave
salieran: antes de que salieran
  before they left
salir (de) to go out, leave
salón large room
saltado: lomo saltado marinated
  steak, vegetables and fried potatoes,
  usually served over white rice
salud health
salvó saved
sana healthy
sangre blood
se himself, herself, itself, oneself,
  themselves, yourselves
sé I know
sea: no creo que sea fea I don't

think it's ugly
seas: no seas don't be
secadora dryer
secarme el pelo to dry my hair
secarse el pelo to dry their hair
secuestrar to kidnap
secundaria secondary
seguían they kept on
seguir to continue
segura sure
seguramente surely, for sure
semana week
sendero path, trail
sentada seated, sitting
sentaron they sat
sentarse to sit down
sentía: se sentía felt
sentimiento feeling (noun)
sentiría: se sentiría would feel
sentó: se sentó sat down
seña: hizo una seña pointed
señalando pointing to
señaló pointed (to)
señora Mrs.
señorita Miss, young lady
ser to be
será will be
   ¿quién será X? who might X be?
   ¿será posible? might it be possi-
    ble?
sería would be
servía: ¿de qué le servía ir? what
  good did it do her to go?
servido served (adj.)
si if
sido been
siempre always
siéntate sit down (command)
siento I'm sorry
   lo siento I'm sorry

me siento I feel
siglo century
significaba meant
sigue keeps on, continues
siguiente: al día siguiente the next day
siguió kept on, continued
simpática nice
sin without
sintió felt
  se sintió felt
siquiera: ni siquiera not even
sobre about, above
sobreviviera: quería que X sobreviviera wanted X to survive
sobrevivieras: tenía miedo de que no sobrevivieras I was afraid you wouldn't survive
sobrevivir to survive
sobrevivirá will survive
sobreviviría would survive
sol sun
sola alone
solamente only
soles Peruvian currency
sólo only
sombrero hat
somos we are
son they are, you are (plural)
sonaba sounded
sonreían they smiled
sonriendo smiling
sonrió smiled
sonrisa smile (noun)
soñaba con dreamed about
sopa soup
soportar to put up with
sorprendida surprised (adj.)
sorprendió surprised (verb)
soy I am

Sra. Mrs.
Srta. Miss
su his, her, their, your
suave smooth, soft
subieran: quería que subieran wanted them to climb
subir to go up, to climb
sucedió happened
sucio dirty
Sudamérica South America
sueño dream (noun)
suerte luck
  ha tenido suerte has been lucky
  la suerte que ella tenía de how lucky she was to
  tenía (tanta) suerte was (so) lucky
  tuvo mucha suerte was very lucky
suéteres sweaters
suficiente enough
sufriendo suffering
sugirió suggested
sumamente extremely
supiera: quería que X lo supiera wanted X to know
supieras: quería que supieras I wanted you to know
supieran: hasta que supieran until they knew, until they found out
  cuando supieran when they knew
  para que supieran so they would know
supo found out
supuesto: por supuesto of course
sur south
sureñas southern
sus his, her, their, your
tal: ¿qué tal si me das …? what if you give me …?, why don't you

give me ...?, how about giving me ...?

tal como just like

tal vez maybe

tamaño size

también also, too

tambores drums

tampoco neither; not ... either (after *no*)

tan so

tanto so much

tantos so many

tarde late, afternoon

más tarde later

tarea homework

te you, to you, for you, yourself (the translation often depends on what is used with the verb in English)

techo roof

temía feared

templos temples

temprano early

tendremos we will have

tendría would have

tendría que would have to

tenemos we have

tenemos que we have to

tener to have

tener que to have to

tener ... años to be ... years old

tengamos: es posible que tengamos que we might have to

tengas: es posible que no tengas you might not have

para que tengas so that you'll have

tengo I have

tengo ocho años I'm eight years old

tenía had

la suerte que ella tenía de how lucky she was to

no tenía ganas de ... para nada didn't at all feel like ...

no tenía muchas ganas de didn't much feel like

no tenía ningunas ganas de didn't feel at all like, had no desire to

tenía ... años was ... years old

tenía ganas de felt like

tenía miedo (de) was afraid (to)

tenía (mucha) hambre was (very) hungry

tenía que had to

tenía (tanta) suerte was (so) lucky

tenía unos ... años was about ... years old

tenía vergüenza (de) was embarrassed (to)

tenían they had

tenían que they had to

tenido had (p.p.)

terminar to finish

se rió al terminar de ...r she laughed when she finished ...ing

terminara: antes de que O. terminara de ...r before O. finished ...ing

terrazas terraces

terremoto earthquake

ti you

tiempo time

hacía tiempo que no la veía así it had been a while since she had seen her like that

tienda store

tiene has

tiene ... años is ... years old

tiene hambre is hungry

tierno tender
tierra earth, ground
típica typical
tipo type, kind
tocando playing
todavía still
  todavía no not yet, still not
todo all, everything
  de todo all kinds of things
  lo hizo todo did everything
  todo el día all day
  todo lo posible everything possible
  todo tipo de all kinds of
todos everyone, all
  todos los días every day
toma here (take this) (command)
tomar to take
tomarle una foto a to take a picture of
tomarse: querían tomarse una foto wanted to have their picture taken
tome here (take this) (command)
tonta foolish, ridiculous, dumb
tostado toasted
trabajar to work
traerán they'll bring
traje I brought
tranquilizarle to calm her down
tratar de to try to
trato I try
trece 13
triste sad
tristeza sadness
tu your
tú you
tuviera: no quería que M. tuviera hambre didn't want M. to be hungry
  para que E. tuviera so E. would have
  si no tuviera que if he didn't have to
tuvo (que) had (to)
  tuvo mucha suerte was very lucky
u or
ubicada located
Ud. (usted) you (formal)
última last
un, una a, an
único only
  lo único the only thing
unidos united
uno one
unos some, a few, about
usar to wear
usaría would wear
usted you (formal)
va is going, goes
  le va muy bien she's doing very well (it's going well for her)
vacaciones vacation
vaciló hesitated
valle valley
vamos we go, we're going, let's go
varias various, several
vayan: conseguir que Xs vayan to make arrangements for Xs to go
  es posible que consigamos que ellos vayan we might be able to make arrangements for them to go
vea: quiero que me vea I want him to see me
  cuando te vea will be very happy when she sees you (in the future)
veces times
  a veces at times, sometimes
  muchas veces often

vegetales vegetables

veía: se veía looked, appeared
  hacía tiempo que no la veía así it
  had been a while since she had
  seen her like that

vemos we see
  nos vemos see you later (we'll see
  each other)

vendedora saleswoman

vender to sell

vengo I come

venir to come

ventaja advantage

ver to see

verano summer

verdad truth
  es verdad it's true

verde green

verduras greens, vegetables

veré: me veré I'll look, I'll appear

vergüenza shame, embarrassment
  tiene vergüenza is ashamed, is
  embarrassed

vería: se vería would look, would
 appear

vestido dressed (p.p.)

vestir: se … vestir to get dressed

vestirse to get dressed

vez time, instance
  de vez en cuando once in a while
  en vez de instead of
  otra vez again
  tal vez maybe

viajar to travel

viaje journey, trip

vida life

viejo old

vienes you come

viera: quería que X le viera wanted
 X to see her

vieran: esperaba que no se vieran
 hoped they wouldn't see each other
 again

vino came

vio saw

vista view

visto seen

viviera: no podía creer que M.
 viviera couldn't believe that M.
 lived

vivir to live

volteó turned around

voluntario volunteer

volvamos let's go back
  volver to return
  al volver …, E. recibió when she
  got back …, E. received
  volver a ver a X to see X again

volviera: esperó a que X volviera
 waited for X to come back
  le dijo que volviera told him to
  come back
  no quería que volviera a apare-
  cer didn't want him to show up
  again

voy I go
  me voy I'm going, I'm leaving

vuelo flight

vuelta: se dio vuelta turned around

vuelvas: cuando vuelvas when you
 return (in the future)

ya now, by now, by this time,
 already
  ya llegó has arrived, has come

zanahorias carrots

zapatos shoes

LOS AUTORES

Lisa Ray Turner es una premiada novelista norteamericana que escribe en inglés. Es hermana de Blaine Ray.

Blaine Ray es el creador del método de enseñanza de idiomas que se llama TPR Storytelling y autor de varios materiales para enseñar español, francés, alemán e inglés. Ofrece seminarios para profesores sobre el método en muchos locales. Todos sus libros, videos y materiales se pueden conseguir por medio de TPRS Workshops. Véase la página titular.

EL DIBUJANTE

Pol es el seudónimo de **Pablo Ortega López**, destacado y premiado ilustrador ecuatoriano que tiene una larga carrera como ilustrador. Actualmente está radicado en el Area de la Bahía de San Francisco en California y se dedica a la animación. Pol creó el dibujo de las portadas de *Vida o muerte en el Cusco* y las demás novelas de la misma serie. Puede visitarlo en:

www.polanimation.com

NOVELAS

En orden de dificultad, empezando por la más fácil, las novelitas de Lisa Ray Turner y Blaine Ray en **español** son:

Nivel elemental:
Berto y sus buenas ideas
(de Magaly Rodríguez)

Nivel 1:
A. Pobre Ana^*†°🆑📹♪
(sólo de Blaine Ray)
A. Pobre Ana: Edición bilingüe (sólo de Blaine Ray)
B. Patricia va a California*†°🆑📹♪
(sólo de Blaine Ray)
C. Casi se muere*†🆑📹♪
D. El viaje de su vida*†🆑📹♪
E. Pobre Ana bailó tango
(de Patricia Verano, Verónica Moscoso y Blaine Ray)

Nivel 2:
A. Mi propio auto*†🆑📹
B. ¿Dónde está Eduardo?*🆑📹
C. El viaje perdido*🆑📹
D. ¡Viva el toro!*🆑📹♪

Nivel 3:
Los ojos de Carmen*°🆑
(de Verónica Moscoso)
Vida o muerte en el Cusco

^ Versión **rusa**:
Бедная Аня

🆑 existe versión en CD audio.
📹 existe versión en película DVD.
♪ existe CD de cancion(es) del cuento.

* Versiones **francesas**:
Nivel 1:
A. Pauvre Anne🆑📹♪
B. Fama va en Californie🆑
C. Presque mort
D. Le Voyage de sa vie

Nivel 2:
A. Ma voiture, à moi
B. Où est passé Martin ?
C. Le Voyage perdu
D. Vive le taureau !

Nivel 3:
Les Yeux de Carmen
(de Verónica Moscoso)

† Versiones **alemanas**:
Nivel 1:
A. Arme Anna📹♪
B. Petra reist nach Kalifornien
C. Fast stirbt er

Nivel 2:
A. Die Reise seines Lebens
B. Mein eigenes Auto

° Versiones **inglesas**:
Nivel 1:
A. Poor Ana
B. Patricia Goes to California

Nivel 3:
The Eyes of Carmen
(de Verónica Moscoso)

GUÍAS PARA PROFESORES

Teacher's Guide for
Spanish I Novels

(*Pobre Ana, Patricia va a California, Casi se muere* y *El viaje de su vida*)

Teacher's Guide for
Spanish II Novels

(*Mi propio auto, ¿Dónde está Eduardo?, El viaje perdido* y *¡Viva el toro!*)

To obtain copies of
Vida o muerte en el Cusco
contact
Blaine Ray Workshops
or
Command Performance Language Institute
(see title page)

or

one of the distributors listed below.

DISTRIBUTORS
of Command Performance Language Institute Products

Entry Publishing & Consulting New York, NY Toll Free (888) 601-9860 lyngla@rcn.com	*Midwest European* *Publications* Skokie, Illinois (800) 277-4645 www.mep-eli.com	*World of Reading, Ltd.* Atlanta, Georgia (800) 729-3703 www.wor.com
Applause Learning Resources Roslyn, NY (800) APPLAUSE www.applauselearning.com	*Continental Book Co.* Denver, Colorado (303) 289-1761 www.continentalbook.com	*Delta Systems, Inc.* McHenry, Illinois (800) 323-8270 www.delta-systems.com
TPRS Nederland vof Broek in Waterland THE NETHERLANDS (31) 0612-329694 www.tprsnederland.com	*Taalleermethoden.nl* Ermelo, THE NETHERLANDS (31) 0341-551998 www.taalleermethoden.nl	*Adams Book Company* Brooklyn, NY (800) 221-0909 www.adamsbook.com
TPRS Publishing, Inc. Chandler, Arizona (800) TPR IS FUN = 877-4738 www.tprstorytelling.com	*Teacher's Discovery* Auburn Hills, Michigan (800) TEACHER www.teachersdiscovery.com	*MBS Textbook Exchange* Columbia, Missouri (800) 325-0530 www.mbsbooks.com
International Book Centre Shelby Township, Michigan (810) 879-8436 www.ibcbooks.com	*Carlex* Rochester, Michigan (800) 526-3768 www.carlexonline.com	*Tempo Bookstore* Washington, DC (202) 363-6683 Tempobookstore@yahoo.com
Varsity Books River Grove, Illinois (877) 827-2665 www.varsitybooks.com	*Follett Educational Services* Woodridge, IL 800-621-4272 www.fes.follett.com	*Sosnowski Language Resources* Pine, Colorado (800) 437-7161 www.sosnowskibooks.com